Alles over mijn
knabbelende konijn

Hoi konijn, fijn dat je nu bij mij woont!

In dit boek lees je alles over je nieuwe vriendje. Hoe je hem voert, wat hij lekker vindt, hoe je hem verzorgt, welke spelletjes 'ie leuk vindt en nog veel meer!

Inhoud

Wist je dat een konijn wel **10** jaar oud kan worden? Als je hem goed verzorgt. **Ho**e dat **moet lees** je in dit boek.

Hahahahahahihihahihahaaa…
Lachen!

Op deze pagina kun je een foto
van je konijn plakken.

Dit boekje is van ....Ik ben..... jaar

Dit is mijn adres...

En dit mijn telefoonnummer ....

Mijn konijn heet...

Het is een jongen/meisje*

Mijn konijn is het allerliefste konijn, want ....

....

Zo herken ik mijn konijn...

*m/v Op pagina 28 staat hoe je kunt zien of je konijn
een jongen of een meisje is.

3

Aangenaam!

Mijn naam is haas.
Oeps... konijn. Geen
twee konijntjes zijn
hetzelfde. Het ene is bruin, het
andere wit. Het ene heeft vlek-
jes, het ander krulletjes. Het ene
heeft hangoren, een ander mini
oortjes... er zijn zelfs konijnen
met rode ogen! Die noemen we
albino's. Hun vacht is sneeuwwit.

Hazentanden

Konijnen hebben zes snijtanden.
Daarom zijn konijnen officieel
geen knaagdieren, want die hebben er vier. Konijnen horen tot
de familie van de haasachtigen
(de Lagomorpha).

Alle konijnen zijn anders, maar één ding hebben ze allemaal: een witte staart. In het donker is het net een achterlichtje.

Vrijheid, blijheid

Met zijn lange tanden kan je konijn goed stukjes van zijn voedsel afsnijden, maar hij kan er ook mee bijten! Om dat te voorkomen moet je een paar dingen over konijnen weten. Er zijn wilde en tamme konijnen. Wilde konijnen leven in de vrije natuur. Vaak in het bos of in de duinen. Ze zorgen voor zichzelf. Jouw konijn is tam. Hij woont bij jou en jij zorgt goed voor hem. Dat kan hij zelf niet, want dat heeft hij nooit geleerd. Wilde en tamme konijnen zijn heel verschillend, maar ze lijken ook wel veel op elkaar. En soms vergeet een tam konijn wel eens even dat hij tam is...

● ...dan denkt hij dat jouw hand boven hem een roofvogel is die hem op wil eten. Hap!

● ...dan denkt hij dat jouw kleine broertje gevaarlijk is, omdat hij zulke gekke dingen met hem doet. Hij tilt hem op en banjert ermee rond alsof het een knuffel is. En je konijn bungelt als een prooi in zijn armen. Au au, niet doen!

● ...dan denkt hij dat je hond een vos is die hem op wil eten. En hij schrikt zich natuurlijk een hoedje, want je konijn ziet geen verschil tussen een vos, een hond of een kat. Het zijn voor hem allemaal grote, gevaarlijke vijanden.

Wist je dat een konijn wél kan praten? Nee, niet met woorden, maar met zijn lichaam. Als je goed naar hem kijkt, kun je zien wat hij bedoelt. Kijk maar eens op pagina 27.

Als je konijn bang is of schrikt, of iets helemaal niet leuk vindt, kan hij van zich af gaan bijten. Dat zou jij toch ook doen? Als je niet kon praten of wegrennen?

Kom je buiten spelen?

Binnen of buiten, waar gaat jouw konijn wonen?

Konijnen wonen het liefst buiten en de meeste mensen hebben ook helemaal geen plaats voor een 'binnenkonijn'. Het konijn zelf is misschien niet zo groot, maar zijn hok wel.

'Hokken'

Konijnen zijn groeps- en gezelligheidsdieren. Ze hebben een vriendje nodig om mee te 'hokken', anders worden ze ongelukkig. Heb je maar één konijn?

Dan kan je konijn toch het beste binnen wonen, want binnen vergeet je hem minder snel en kun je hem meer aandacht geven. Dat is belangrijk, want jij bent z'n enige vriendje. En als hij de hele dag in zijn uppie buiten staat, ziet hij je nauwelijks. Dat is zielig.

Verkouden

Konijnen die lekker warm binnen wonen, moet je niet ineens in de kou buiten laten spelen. Alleen als het mooi weer is. Anders wordt hij snipverkouden. *Hatsjoe!* Woont je konijn altijd in een hok buiten, haal hem dan niet ineens naar binnen, want konijnen zijn erg gevoelig voor temperatuurschommelingen.

Heb je één konijn en mag of kan hij niet binnen wonen? Zoek dan een lief konijnenvriendje voor hem uit waarmee hij buiten in een hok kan wonen en spelen.

Gezellig samen

Natuurlijk kun je niet zomaar twee konijnen bij elkaar in het hok zetten. Ze moeten aan elkaar wennen. Soms duurt dat een paar seconden, soms weken. Zet het nieuwe konijn al die tijd in een apart hok en zet de dieren steeds vaker en steeds langer bij elkaar. Net zolang tot ze elkaar accepteren. De grootste kans dat ze goed met elkaar door de bocht

kunnen, is als je een gecastreerd mannetje (een ram) koppelt aan een vrouwtje (een voedster).

Twee zusjes kunnen het vaak ook goed met elkaar vinden. Twee rammen? Dat wordt rammen.

Als je konijn vaak alleen is, omdat je ouders werken en jij ook veel weg bent, dan wil hij graag een konijnenvriendje.

Hokken

Een konijn woont in een konijnenhok. Die heb je in allerlei soorten en maten. Maar hoe kies je een hok dat past bij jouw konijn? Nou, zo!

Je konijn woont het liefst zo groot mogelijk. Alleen dan kan hij zich goed bewegen en dat is héél belangrijk. Anders wordt je konijn stijf en chagrijning. Het hok moet ook hoog genoeg zijn, zodat je konijn ook af en toe rechtop kan 'staan'. Koop dus een groot, hoog hok en zet dat op een rustige plek. Het moet er droog zijn (een afdakje voorkomt dat het naar binnen regent) en het mag er niet waaien of tochten.
Ook mag je konijn nooit in de volle zon staan. Het beste is een beschutte plaats tegen het huis of tegen een schutting.
Heb je een 'binnenkonijn', zet hem dan niet bij een open raam of bij de verwarming, want daar schommelt de temperatuur veel te veel. Dan weer koud, dan weer warm... Hij staat het liefst op een rustig plekje, daar waar hij van veilige afstand de boel goed in de gaten kan houden.

Voetjes van de vloer

Net als jij, wil je konijn graag buiten spelen. Dat kan in een grote ren. Het mooiste is natuurlijk een ren waar hij zelf in en uit kan huppelen. Je kunt hiervoor een soort brug van het hok naar de ren maken. Zo'n brug is nodig, omdat het hok altijd hoger staat dan de ren. Zet je een konijnenhok op de grond, dan krijgt je konijn koude, natte voeten van de regen. Ook kunnen er dan katten en honden bij het hok. Gezellig, visite, denk jij misschien, maar konijnen zijn bang voor honden en katten. Een konijnenhok staat dus

altijd op poten. Anders moet je plat op je buik liggen om het hok schoon te maken. Niet zo handig... Wat wel heel handig is: een scharnierend dak. Klep open en poetsen maar. Niet vergeten dicht te doen, want roofvogels zijn dol op konijnen.

Rennen!

Bij het hok hoort een ren. Je kunt ook kiezen voor een 'mobiele ren'. Die zit niet vast aan het hok, maar die zet je gewoon in de tuin, op het gras en je konijn kan lekker ravotten. Zonder dat hij er als een haas vandoor gaat! Konijnen graven wel graag holletjes. Pas dus op dat hij op die manier niet uit de ren ontsnapt.

Op de vloer van de ren kun je het beste stoeptegels leggen. Zand wordt blubberig en een grasmat eten ze op of ploegen ze om. Gaas op de bodem van de ren is niet zo handig, want daar kan je konijn met zijn poten achter blijven haken. Au! Gaas kan wel als je het diep ingraaft.

De inrichting

Het nieuwe hok moet wel een beetje gezellig worden ingericht. Nee, niet met behang en stoelen, maar met speciale spullen voor konijnen natuurlijk.

W e beginnen met de vloer. Zaagsel en kranten? Dat wordt een zooitje, want het wordt snel nat en het gaat stinken. Stro is het allerbeste. Leg een dikke laag op de vloer van het hok, daar kan je konijn dan lekker in rollebollen.

De keuken

Koken kan je konijn niet. Jij moet zijn eten en drinken verzorgen. Dat leg je niet zomaar in zijn hok, maar doe je in een bakje. Bakjes van roestvrijstaal zijn het handigst en het is slim om ze niet neer te zetten, maar op te hangen.

Niet te hoog, maar zo hoog dat je konijn er goed bij kan en er geen viezigheid in kan vallen. De dierenwinkel verkoopt beugeltjes waarmee je de bakjes kunt ophangen. Maak de bakjes elke dag schoon en geef je konijn

dagelijks schoon water en voer. Wat voor voer? Dat lees je op pagina 16. Voor water bestaan er handige drinkflesjes die je ook op kunt hangen.

De slaapkamer

Staat je konijn buiten, dan heeft hij een nachthok nodig. Een veilig 'kamertje', waar hij rustig kan slapen. De 'deur' is zo groot dat je konijn er wel doorheen kan en andere (roof)dieren, zoals katten, niet.

's Winters leg je extra stro in het nachthok. Het houdt je konijn lekker warm.

De speelkamer

Spelen, rennen, ravotten... je konijn doet niets liever. Om te voorkomen dat hij zich verveelt, kun je speelgoed in zijn hok zetten. Een oude handdoek waar hij zich onder kan verstoppen, een doos waar hij onder kan gaan zitten, een buis waar hij doorheen kan kruipen, een oud boek waar hij lekker in kan scheuren... Het favoriete spelletje van je konijn is graven.

Je konijn is áltijd op zijn hoede. Want er kan net als in de natuur zomaar een vijand opduiken. Zelfs als hij ligt te pitten houdt hij een oogje in het zeil.

Vul eens een mand met papiersnippers. Of prop een buis vol met oude kranten. Feest!
Ook in de ren speelt je konijn graag met speelgoed. Leg er eens wat buizen in.

Of een boomstronk. Of wat wilgentakken of takken van een appelboom.

En de wc!

Natuurlijk mag een wc niet ontbreken. Sla maar snel om, dan lees je alles over konijnenkeutels en zo. En ook over hoe je een konijnenhok schoonmaakt.

De pot op!

Konijnen poepen en plassen. Zo zorg je dat het hok geen zwijnenstal wordt.

Je konijn poept en plast altijd op dezelfde plek, vaak een hoekje in zijn hok. Als je weet waar hij poept en plast, kun je daar een wc voor hem maken. Bij de dierenwinkel zijn speciale korrels van geperst hout of papier te koop. Die strooi je in de hoek en klaar is het toilet. Je kunt ook een konijnen-wc kopen bij de dieren-winkel. Nee, niet een die je echt door kunt trekken, maar een bak in de vorm van een driehoek, die precies in een hoek van het hok past.

De bak vul je met diezelfde korrels met daar bovenop een laag stro. Het voordeel van zo'n bak is, dat je hem makkelijker schoon kunt maken.

Wel 300 keutels per dag!

Een volwassen konijn kan meer dan driehonderd keutels in 24 uur poepen! Dus als je één dag vergeet om zijn wc schoon te maken, liggen er al 600 keutels in... Die vallen ook wel eens naast de pot, daarom is het belangrijk om zijn hok goed schoon te maken. In elk geval elke week en als het 's zomers warm is, vaker. Waarom? Omdat de poep dan gaat stinken en daar komen vliegen op af. En van die vliegen kan je konijn ziek worden. Dus: gooi het vieze stro weg en leg schoon stro in het hok. Elke maand krijgt het konijnenhok een grote schoonmaakbeurt. Dan mest je het hok helemaal uit en maak je alles goed schoon met heet water en een beetje soda. Kook ook de eetbakken uit. Was de waterflesjes regelmatig en spoel ze goed na.

Plas en poep = lekker!

Konijnen likken hun eigen plas op. En ze eten hun eigen poep! Nou ja, ze zijn wel een beetje kieskeurig, want de harde keuteltjes laten ze liggen. Ze eten alleen de donkere, zachte. Let maar eens op als hij met zijn kopje bij zijn billen zit te snuffelen. Door de keuteltjes te eten, verteert je konijn zijn voedsel beter. Lekker laten eten dus, want het is hartstikke gezond.Er zijn wel meer dieren die hun eigen poep opeten en met een moeilijk woord heet dat: coprofagie.

Plasje

Is het een plasje plas of een plasje bloed? Soms zie je het verschil bijna niet, want konijnenplas kan heel donkerbruin of donkerrood zijn. Net bloed. Niet schrikken: je konijn heeft gewoon iets gegeten waar zijn plas donker van wordt. Wist je trouwens dat dat bij jou soms ook gebeurt? Vraag je moeder maar eens of ze bietjes kookt...

Maandag = schoonmaakdag. Of dinsdag. Of zaterdag. Kies een dag die jou goed uitkomt en maak daar je konijnenhok-poetsdag van. Wedden dat je het bijna nooit meer vergeet?

13

Wie ben jij?

Je hebt een konijn gekregen dat bij jou komt wonen. Dat is leuk! Maar ook wel even wennen. Voor jou, maar vooral voor je konijn. Zó voelt hij zich snel op z'n gemak!

Gun je konijn de tijd om aan jou en zijn nieuwe omgeving te wennen. Aan de geuren, de geluiden, de mensen. Waarom dat zo belangrijk is? Een konijn moet zich veilig voelen bij jou. Hij moet weten dat je zijn vriend bent. En dat hij niet bang hoeft te zijn. Pas als je zijn vertrouwen hebt gewonnen, is hij je maatje.

Je laat je konijn aan je wennen door hem mee te nemen naar een rustig plekje. Pak hem nooit uit zijn veilige hok, maar laat hem naar jou toekomen. Ga gewoon op je buik op de grond liggen. Konijnen zijn nieuwsgierige Aagjes, dus na een tijdje komt hij vanzelf wel naar je toe. Je kunt hem ook proberen te lokken. Met een strootje hooi bijvoorbeeld. Is je konijn voor het eerst bij je in de buurt, laat hem dan lekker zijn gang gaan. Laat hem niet schrikken, aai

> **Noodgeval**
>
> Soms moet je je konijn toch oppakken. Zorg dan dat de staart van je konijn naar jouw buik wijst. Schuif je linkerhand tussen zijn voorpoten en je rechterhand onder zijn billen. Heb je hem goed vast en is je konijn rustig? Dan kun je hem optillen.

hem niet, maar laat hem lekker aan je snuffelen. Misschien kruipt hij zelfs wel bovenop je! Als je hem nu pakt, dan schrikt hij en durft hij de volgende keer niet meer te komen. Niet doen dus. Het kan trouwens best even duren voor je konijn je vertrouwt. Soms een paar dagen, soms een paar weken.

Aaaaaai

Konijnen zien eruit als knuffels. Toch zijn ze helemaal niet dol op knuffelen. Houd daarom je kleine broertje of zusje uit de buurt van je konijn. Die kleintjes willen je konijn graag oppakken en ermee rond-banjeren. En als je konijn ergens geen zin in heeft...

Konijnen staan het liefst met vier poten op de grond. Net als in de natuur. Wil je je konijn aaien, pak hem dan niet op, maar ga gewoon lekker naast hem op de grond zitten. Hij komt vanzelf wel naar je toe en laat zich dan maar wat graag aaien.

Sommige konijnen springen zelf op schoot om geaaid te worden. Dan moet hij je wel door en door vertrouwen. Hoe meer je hem met rust laat, hoe veiliger hij zich voelt en hoe groter de kans dat het een knuffelkonijn wordt dat zelf bij je op schoot springt.

Eten

Je konijn knabbelt dan wel graag, hij eet niet zo veel.
Hij hoort slank en gespierd te zijn en zeker niet dik.
Zó houd je hem gezond en in conditie.

En konijn eet wat je hem voorzet. Weet hij veel wat goed voor hem is en wat niet. Hij weet zelfs niet welke planten en groenten giftig zijn. Daar moet jij dus goed op letten. En wat ook belangrijk is: geef je konijn nooit groenten en fruit zo uit de koelkast. Daar kan zijn maag echt niet tegen. Veel te koud!

Wortel? Nu even niet!

De eerste paar weken is het slim om je konijn precies hetzelfde eten te geven als hij in de dierenwinkel of in het asiel kreeg. Er is al zo veel nieuw voor hem, als hij ook nog ander eten krijgt, raakt hij helemaal de kluts kwijt. Hooi en vers water, de rest komt later!

Hooi

Hooi is gezond voor je konijn, het is zijn allerbelangrijkste voeding. Zo belangrijk dat hij er dag en nacht op moet kunnen knabbelen, dus zorg áltijd voor een flinke pluk vers hooi in het hok.

Water

Zorg dat je konijn elke dag vers, schoon water krijgt.

Groente

Konijnen lusten ook groenten. Maar let op, ze mogen niet alles.
Niet: bonen, kool (boerenkool mag wel), spruitjes, bieslook, erwten, aardappels en prei. Van deze groenten krijgt je konijn buikpijn. Rabarber is zelfs giftig voor een konijn.
Wel: witlof, broccoli, andijvie, veldsla, peterselie en natuurlijk wortels. Met de blaadjes er nog aan.

Gezond konijnenmenu:

1. Véél hooi
2. Schoon water
3. Voldoende groente
4. Weinig droogvoer
5. Weinig fruit
6. Geen snoep

Het is belangrijk om een konijnenhok niet vol te gooien met groente. Je konijn moet er langzaam aan wennen, anders krijgt hij diarree. Begin - pas als je konijn ouder dan 12 weken is - met een piëpklein stukje van één soort. Dan wacht je een dag. Veranderen de keutels van je konijn niet? Dan kun je nog een stukje proberen. Krijgt je konijn diarree? Stop dan meteen met de groente en probeer het over een paar dagen nog eens met een andere soort groente.

Bloemkool zelf mag je konijn niet, maar de bladeren weer wel.

17

...en nog meer eten

Droogvoer

Je kunt je konijn het beste alleen de biks - de groenbruine korrels - geven. En dan maar een klein handjevol per dag. Dat is echt genoeg, anders mest je hem vet. Is je konijn heel groot, dan mag hij natuurlijk iets meer. Naast het droogvoer krijgt hij voldoende binnen als je hem elke dag een verse pluk hooi geeft en wat verse groente en fruit.

Als konijnen eenmaal aan een merk voer zijn gewend, halen ze hun neus op voor iets anders. Wil je overstappen op een ander merk, doe dat dan heel langzaam. Hoe? Mix het met het 'oude' merk. Eerst een beetje en steeds wat meer.

Fruit

Wat voor groente geldt, geldt ook voor fruit: je konijn moet er langzaam aan wennen. Geef je konijn nooit te veel fruit per dag, want in fruit zit suiker en dat is niet goed voor je konijn. Een klein stukje is voldoende. Je merkt vanzelf welk fruit je konijn lekker vindt. Een stukje appel, mango, meloen, ananas, kiwi,

Wist je dat veel konijnen eikels en kastanjes erg lekker vinden?

Blaadjes en bloemetjes

Konijnen zijn gek op de stengels en blaadjes van paardenbloemen. Die pluk je vaak gewoon in je tuin! Nee, niet langs de kant van de weg, want die zitten vol met viezigheid van alle auto's die erlangs razen. Geef je konijn nooit zomaar bladeren of bloemen van planten uit de tuin. En zeker niet boterbloem, speenkruid, gouden regen, rododendron, klaproos, bitterzoetkruid en vingerhoedskruid. Want die planten zijn voor je konijn hartstikke giftig.

peer, een aardbei, een kers...
Zonder pitje natuurlijk!

Snoep

Snoep! Jij bent er gek op, maar
je konijn niet zo. Zelfs niet op de
speciale konijnensnoepjes uit de
dierenwinkel. Met een pluk vers
hooi doe je hem een veel groter
plezier! Dat scheelt jou weer zak-
geld...

Smaken verschillen

Wat het ene konijn lekker
vindt, vindt het
andere niet om
te pruimen.

Daarom hier een handig lijstje
om in te vullen waar jouw konijn
van houdt en waar hij diarree van
krijgt. Handig!

Om-de-poten-bij-op-te-eten:	Laat-maar-zitten-gerechten:
....	....
....	....
....	....
....	....
....	....
....	....
....	....

Goed verzorgd

Je konijn moet natuurlijk goed worden verzorgd. Hoe je
hem voert, weet je nu en hoe je zijn hok schoonmaakt ook.
Maar er is meer dat je moet weten en doen!

Konijnen zijn ijdeltuiten. Ze
zijn altijd mooi schoon.
Met spuug maakt een
konijn eerst zijn pootjes schoon,
met die pootjes wast hij zijn
oren en daarna de rest. Het
zijn eigenlijk net katten, die
wassen zichzelf ook.
Heeft je konijn lange haren?
Dan moet je zijn vacht regelmatig borstelen. Gewoon met een
zachte (baby)borstel. Anders
wordt het een grote pluizenbol
met klitten waar allemaal viezigheid in blijft hangen. Tijdens het
borstelen kun je meteen de huid
van je konijn goed bekijken en
zijn lijfje voelen. Heeft hij geen
kale plekjes, bultjes of wondjes?
En zitten er geen kriebelbeest-

jes in? Wel? Trek dan even
aan de bel bij de dierenarts.

Naar de kapper

Ja, je leest het goed! Ook
konijnen moeten soms naar
de kapper. Niet alle konijnen, alleen angora-konijnen.
Want die hebben haren
die groeien en groeien en
groeien...

Naar de pedicure

Pediwat? Pedicure. Dat is
iemand die je nagels knipt.

Tenen tellen

Aan elke voorpoot
heeft je konijn vijf
tenen. En dus vijf
nagels. Eén teentje zit
een beetje hoger, net
als onze duim. Aan
beide achterpoten
heeft je konijn vier
tenen. Dus:
5 + 5 + 4 + 4

Dat kan de dierenarts zijn,
maar je kunt het ook zelf.
Doe het wel héél voorzichtig, samen met een van je
ouders. Hoe? Knip alleen
de puntjes van de nagels
die uit de haren steken. In
de dierenwinkel verkopen

ze er speciale schaartjes
voor. Vind je het een beetje eng? De dierenarts kan
het ook voor je doen. Dat
is de eerste keer sowieso
wel handig, want hij of zij
kan je precies laten zien
hoe je het moet doen.

Kaal

Af en toe verliest je konijn zijn haren. Soms met plukken tegelijk. Niet schrikken, er is niets aan de hand: je konijn is gewoon in de rui. Hij krijgt een nieuwe vacht en de oude haren maken plaats voor nieuwe. Omdat je konijn zich schoonlikt, komen die haartjes in de buik van je konijn terecht. Vandaar dat hij ineens van die gekke keutels poept! Het lijken soms wel kettinkjes! Pulk zo'n drolletje maar eens uit elkaar. Wedden dat er allemaal haartjes in zitten?

Naar de tandarts

Wist je dat konijnentanden groeien? Door veel te knagen, slijten ze vanzelf af en worden ze niet te lang.

Heeft je konijn korstjes in zijn oren? Dan kan hij last hebben van oormijt. Helemaal als je konijn ook veel aan zijn oren krabt, want door die mijten wordt hij helemaal gek van de jeuk! Snel naar de dierenarts dus.

Je kunt een speciaal houtblok kopen dat voorkomt dat de tanden van je konijn te lang worden.

Zijn ze toch te veel gegroeid? Even naar de dierendokter, die slijpt ze 'op maat'. En dan kan je konijn weer goed en gezond eten. Daar lees je alles over op bladzijde 16. Sommige konijnen hebben eigenlijk een beugel nodig. Hun tanden staan zo scheef, dat ze moeilijk kunnen bijten. En als ze niets afbijten, slijten de tanden natuurlijk ook niet. Die beugelbekkies moeten dus ook regelmatig naar de dierenarts om hun tanden te laten slijpen.

Naar de dokter

Om de nagels en de tanden van je konijn te laten knippen, kún je naar de dierenarts. Maar er zijn ook konijnenkwalen waarmee je naar de dierendokter móét!

Hoor je ineens gekke, rommelende geluiden uit de buik van je konijn? Of hoor je juist helemaal niets? Poept je konijn meer of minder? Zien zijn keutels er ineens anders uit? Eet hij (bijna) niets meer? Zit of ligt hij stil in een hoekje en beweegt hij nauwelijks? Ademt hij sneller dan normaal? Dan gaat het niet goed met je konijn. En dan kun je het beste zo snel mogelijk met hem naar de dierendokter gaan. Want wat is er aan de hand? Waarschijnlijk heeft je konijn last van gas. Dat hebben wij ook wel eens. Dan laten we een scheet en... klaar! Konijnen kunnen geen wind laten.

Al die lucht blijft in hun buik zitten en dat doet hartstikke pijn.
Dus: geef gas en snel naar de dierenarts!

Ik moet poepen...

...maar kan niet! Soms kan een konijn last hebben van verstopping. Er zitten dan wel keutels in zijn buik, maar die komen er niet uit. Dat is geen fijn gevoel. De buik van je konijn zit zo vol, daar kan geen eten meer bij. En dus eet hij niet. De dierendokter heeft er een middeltje voor.

Om te voorkomen dat je konijn verstopt raakt, moet hij veel hooi eten. Als je hem alleen maar droogvoer geeft, heeft hij het om de haverklap. En dat is natuurlijk niet gezond.

Konijnen met gas hebben het vaak koud. Ze bibberen ervan. Doe daarom een lekker warm dekentje om je konijn heen als je naar de dokter gaat.

Cursus konijnentaal

Je konijn kan 'praten'. Niet echt natuurlijk, maar wel met 'handen en voeten'. En als je goed kijkt en luistert naar zijn lichaamstaal, weet je precies wat hij bedoelt.

Doet je konijn dit?   Dan bedoelt hij dat!

Rondjes om je voeten lopen...................... Ik vind je lief

Knorren als een varkentje .... Je bent een schat

Achter je aan huppelen .... Wil je met me spelen?

Zachtjes knarsetanden........................... Ik voel me fijn

Springen.. Ik spring een gat in de lucht

Uitgelaten rondrennen en springen .... Ik ben zóóó blij

Je hand likken...................................... Ik vind je lief. Wil je me aaien?

Neus tegen je aan drukken .... Hallo, ik ben er ook!

Languit liggen....................................... Ik ben zo relaxed

Rechtop staan....................................... Wat gebeurt er? Ik ben erg nieuwsgierig

Stampen met de achterpoten................. O jee, gevaar!

Met dingen gooien.................................. Niet storen, ik speel

Met dingen smijten................................. Ik ben woest!

Knabbelen aan spullen........................... Zucht. Ik verveel me zo...

Schreeuwen en gillen............................. Ik ben heel erg bang!!!

Grommen en krabben............................. Ga weg, ik vind je eng

Aanvallen, naar voren schieten .... Ik ben bang voor je, wegwezen!

Hard knarsetanden en wegkruipen......... Ik voel me helemáál niet lekker

Stil in een hoekje liggen .... Ik ben ziek, of

Ik ben bang, ik voel me niet veilig

Met de onderkin spullen aanraken.......... Dit is mijn plek, mijn territorium

Sproeien met plas................................. Ik ben smoorverliefd op jou!

Verliefd, verloofd...

Ook konijnen hebben ze: vlinders in hun buik.
En wat er dan allemaal gebeurt...

Mannetjes-konijnen worden ram genoemd en vrouwtjes heten voedster. De mannetjes hebben vaak een bredere kop en bollere wangen dan de vrouwtjes. Vrouwtjes hebben vaak een wat langer lijf. En ze zijn meestal wat rustiger dan de mannetjes.

Konijnen zijn snel volwassen. Al tussen de zes tot acht maanden. Dan groeien ze niet meer en kunnen ze zelf kinderen krijgen. Een vrouwtje kan wel zes (!) keer per jaar kindjes krijgen. En dan wel zes of acht tegelijk. Als je een mannetje en een vrouwtje samen in een hok zet, heb je dus al snel een hok vol konijnen. Daarom kun je je konijn het beste laten castreren. De dierenarts zorgt dan dat er geen jongen meer komen.

Springen en sproeien

Als rammen verliefd zijn, maken ze gekke sprongen en sproeien kleine druppeltjes urine in het rond. Op konijnen, maar ook op hun baasjes. Heel natuurlijk, maar niet zo fris. Dat houdt op als je konijn is gecastreerd. Ook is een gecastreerd konijn vaak veel rustiger. Zelfs de grootste vechtersbaasjes!

Is je vrouwtjeskonijn vaak boos? Dan is het slim om haar te laten castreren. Wedden dat ze daarna weer poeslief is?

Roze wolk

Een voedster is een maand zwanger. Als de jongen geboren worden, zijn ze helemaal kaal. En hun oogjes zitten nog dicht. Ze liggen lekker dicht tegen elkaar in het hok. Pas na een week of drie komen ze voorzichtig tevoorschijn.

Een week of zes drinken ze moedermelk en daarna eten ze met de pot mee. Pas als ze dat goed doen, mogen de konijntjes bij de moeder weg. Eerder zijn ze nog veel te klein en kunnen ze niet goed voor zichzelf zorgen.

De groeten uit...

Ga je op vakantie? Leuk! Voor jou, want je konijn vindt er geen bal aan. De reis alleen al bezorgt hem de griebels. Maar wat dan?

Je konijn is een echte huismus. Thuis is alles vertrouwd en veilig. Van een camping of vakantiehuisje, raakt hij van slag. En van de reis er naartoe helemaal.

Je konijn blijft het allerliefst thuis. Daarom kun je het beste iemand zoeken die je konijn graag wil verzorgen als jij er niet bent. Die hem eten en drinken brengt, die zijn hok schoonhoudt, die hem elke dag even lekker laat rennen en die hem aandacht geeft. Want je konijn voelt je erg eenzaam als er niemand in huis is. Een weekeinde is niet zo erg, maar een paar weken...

Uit logeren

Je kunt je konijn naar vrienden of familie in de buurt brengen. Daar krijgt hij meer aandacht dan wanneer hij alleen thuis is. Geef hem vertrouwde spulletjes mee, zodat hij zich bij die vreemde mensen toch een beetje thuisvoelt. Zijn eigen hok, speelgoed... Check de logeerplek van je konijn altijd erg goed. Liggen er geen elektriciteitsdraden waar hij aan kan knabbelen? Zijn de planten niet giftig?

Niet bij kleine kinderen

Het is niet slim om je konijn naar een gezin met kleine kinderen te brengen. Die springen vaak veel te wild om met jouw konijn. Ze willen met hem knuffelen en hem optillen. En dat wil jouw konijn helemaal niet.

De gebruiks- aanwijzing

Gaat je konijn logeren? Maak dan een 'gebruiks- aanwijzing'. Een boekje waarin alles over jouw konijn staat. Hoe heet je konijn? Wat lust hij graag (en hoeveel) en waar krijgt hij juist diarree van? Wat verder handig is om op te schrijven:

• Jouw vakantieadres. En je telefoonnummer.
• Naam en telefoonnummer van je dierenarts.
• Het merk voer dat jouw konijn altijd eet.

Naar het asiel

Je kunt je konijn ook naar een speciaal konijnenasiel brengen. Daar heeft je konijn de ruimte om rond te huppelen, zodat hij ook een fijne vakantie heeft. En de verzorgers weten alles van konijnen en kunnen hem dus goed in de gaten houden. Kijk voor adressen bij jou in de buurt op www.dierenasiel.nl. Ga wel altijd eerst even kijken voor je je konijn brengt.

Heeft je konijn medicijnen?

Vergeet die dan niet! En schrijf op hoe en hoe vaak ze gegeven moeten worden. Stel je voor dat je konijn naar de dieren- arts moet, dan is het handig om het inentings- boekje mee te nemen. Stop dat dus ook bij de logeerspullen.

Stop ook dit boekje in de vakantiekoffer van je konijn. Er staan veel handige dingen in!

Nur 223 / LPO90701
© Uitgeverij Kluitman Alkmaar B.V.
© MMVII tekst: Monique Hoeksma
Concept, vorm & realisatie: Jos Noijen / DN30

www.kluitman.nl